発表会用

# アプローズ
## ピアノ・ミニ・リサイタル

JN121868

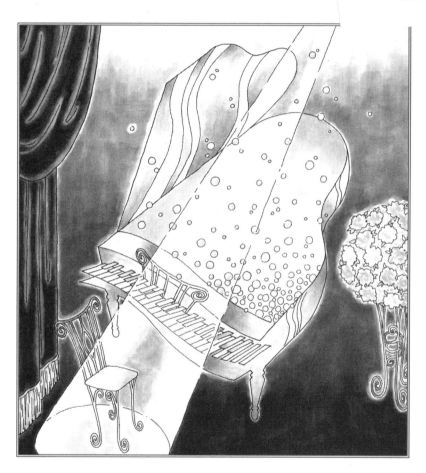

Selected and Edited by
**Lynn Freeman Olson**

ATN, inc.

# も く じ

## ピアニストを志すあなたへ　〜珠玉のピアノ・ソロの名曲を集めて〜

ステージ中央に、ピアノがスポットライトをあびて置かれ...。聴衆はそのステージからの美しい響きに感動し、惜しみない拍手を送る...。

**アプローズ !! ピアノ・ミニ・リサイタル 第1巻**および**第2巻**には、それぞれプログラム曲として、必ず喝采（アプローズ）を受け、注目をあびる可能性のある曲を収めています。収録曲の中には、アンコール用の短めの曲も選曲し、収めてあります。

ピアノを学ぶ生徒が、ピアニストを目指していく過程において、多種多様な様式を学び、修得していく必要があります。そのためには、音楽的なスキル（技術の力量）だけではなく、あなた自身の音楽をピアノで表現できるように経験を重ねていかなければなりません。

本シリーズおよび付属のCDは、生徒がステップ・バイ・ステップでのレベル・アップを目標として、やさしく、効果的に集約され、すべての曲が学習できるように編纂してあります。収録曲はいずれも、聴く人に親しまれ、好まれ、喜ばれる名曲をそろえてあります。さあ、ピアノの響きを十分に楽しみ、アプローズをうけましょう。

## 感謝をこめて

本書に収められている曲は、半世紀もの間多くの人々に愛されている名曲です。たくさんのピアニストがそうであるように、私の学生の時には、よく知られたポピュラーな曲を弾いていました。この私自身の過去が本シリーズの最初の資料となりました。指導者として、長い歳月ピアノ教育の現場での私の経験と、信頼する多くの友人たちの協力を得て、本シリーズが完成しましたことを感謝いたします。私のアイディアがプロジェクトとして実を結ぶについて、励ましとご支援をくださったAlfred Publishingの*Iris Manus*と*Morty Manus*に、心より感謝を申し上げます。

*Lynn Freeman Olson*

## 模範演奏CDについて

　**アプローズ！ピアノ・ミニ・リサイタル　第2巻**のCDには、15曲の感動的なピアノ独奏曲が収録されています。

　収録曲は、中級レベルの生徒が弾きやすく、そして、弾くことが楽しくなるような曲ばかりです。模範演奏のCDを毎日聴くことにより、生徒の音楽的な感性が養われ、積極性を育むことに役立ち、さらに学習する目的と動機が浮きぼりになります。

　具体的な効果をあげると、次のようになります。

　　*聴くことは、正確なリズムと音を学習するのを助ける。*
　　*聴くことは、もっと容易に、また速く暗譜をするのを助ける。*
　　*聴くことは、正確な曲の解釈のガイドライン（指針）を与えることを助ける。*
　　*聴くことは、あなたの弾き方と比較することができる。*

　このCDをレッスン室のライブラリーに加えていただくことで、お教室の発表会の演奏曲選びにも必ずお役に立てると思っております。

*Carole L. Bigler,　Valery Lloyd - Watts*

## CD監修者・演奏者プロフィール

　本書に添付されたCDは、*Carole L. Bigler*の監修により、ピアニスト*Valery Lloyd-Watts*による演奏が全曲収録されています。

### キャロル・ビグラー（*Carole L. Bigler*）

　ピアノ教育者として、講演者として世界的に知られているビグラーは、1974年以来、世界中をまわって、ピアノの指導や、指導者の養成に力をそそいでいます。その指導は大変興味深いもので、受講者に刺激を与え、また能力を引き出す指導法は広く世界で認められています。

　Syracuse大学を優秀な成績で卒業後、Ithaca大学、Cornell大学、Elmira大学で修士課程を修め、1982年よりIthaca大学の大学院で鈴木ピアノ・メソードの指導プログラムのコーディネーターをしています。また、世界中の主な大学で、ピアノ教育学のセミナーやワークショップを行っています。

### バレリー・ロイド＝ワッツ（*Valery Lloyd - Watts*）

　コンサート・アーティストとして活躍するかたわら、ピアノ教師として、著作者として、演奏テクニックの向上のために多大な功績を残しています。特に、本書をはじめAlfred社のピアノ曲集の演奏や、鈴木ピアノ・レパートリーの完全録音集などは、ピアノ指導において、世界中に重要な影響を与えました。

　Wisconsin大学の修士課程を終了し、カナダのRoyal Conservatory of Music（王立音楽院）、ロンドンのRoyal College of Music（王室音楽大学）とRoyal Academy of Music（王立音楽学校）で学位を修得しました。

# AIR AND VARIATIONS (from *Suite No.5*)

### "THE HARMONIOUS BLACKSMITH"

エアーと変奏「調子のよい鍛冶屋」

**George Frideric Handel**
(German-English: 1685–1759)

[Moderato]

★ ここのＢ音とＡ音は、2回めに弾く時は、変奏4（Var. 4）に、もっとも合理的に入っていけるように、左手は、1オクターヴ下から弾くようにしてもよい。

**Var. 5**

# SONATA IN G MAJOR (from *30 Essercizi, 1738*)

ソナタ　ト長調

Domenico Scarlatti
(Italian: 1685–1757)

# TOCCATA (from *Sonata in A*)

トッカータ

Pietro Domenico Paradisi
(Italian: 1707–1791)

★ この曲には、たびたび終止形が現れるが、極端な終わり方はさけよう。強弱記号がついているが、解釈は各自のニュアンスで表現しよう。8分音符は、半分離したよう
　な感じに弾くことが最適である。

# Praeludium in E Minor

前 奏 曲　木短調

**Felix Mendelssohn-Bartholdy**
(German: 1809–1847)

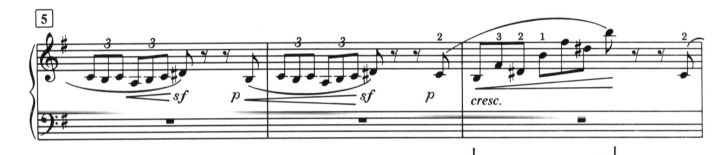

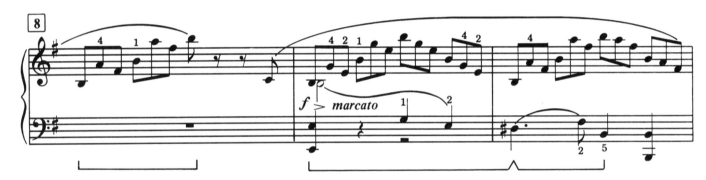

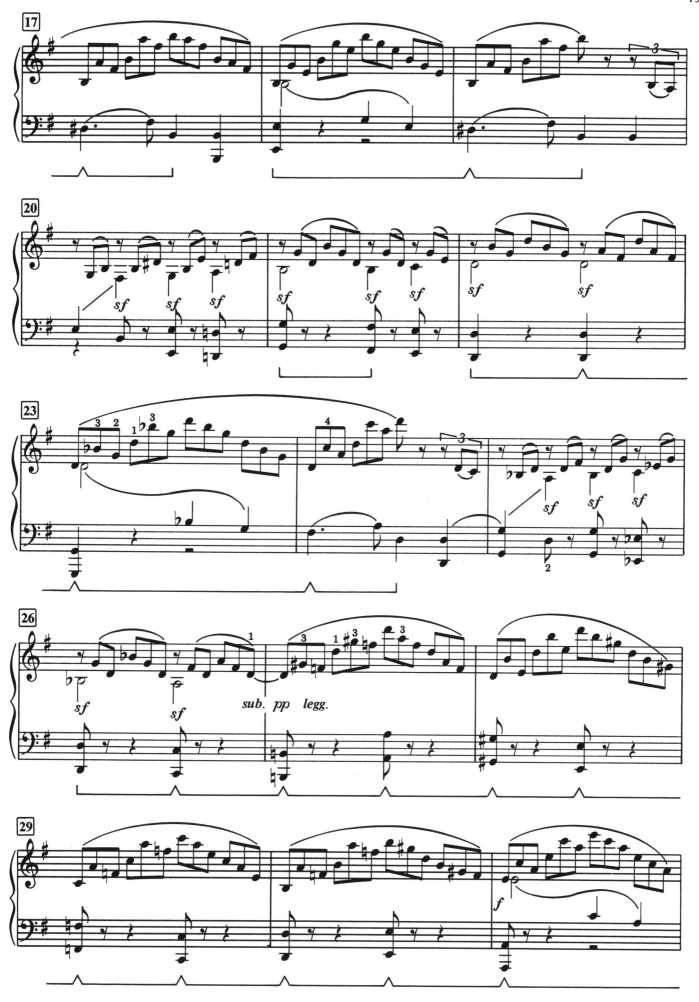

# Scherzo

スケルツォ

**Felix Mendelssohn-Bartholdy**
(German: 1809–1847)

**Op. 16, No. 2**

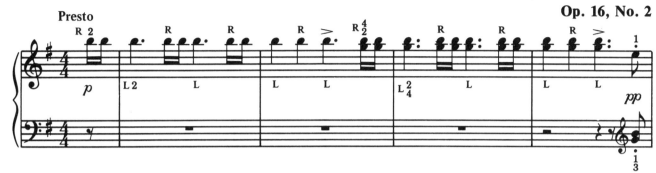

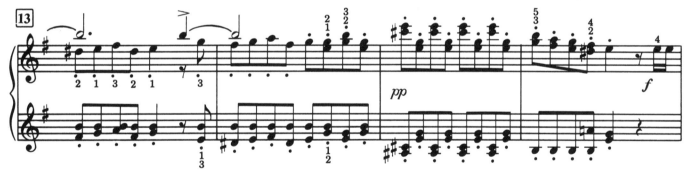

★ ここから終わりまでのペダルは、鮮明な音が出るように使うこと。半分位踏み込んだペダルの使い方をすすめる。

# ETUDE IN C MAJOR

エチュード　ハ長調

**Stephen Heller**
(Hungarian: 1813–1888)
**Op. 46, No. 24**

Allegro con brio

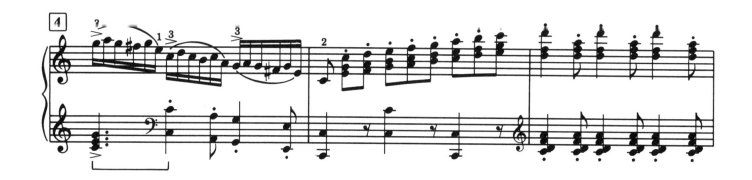

# WARRIOR'S SONG

兵士の歌

**Stephen Heller**
(Hungarian: 1813–1888)
**Op. 45, No. 15**

# WEDDING DAY AT TROLDHAUGEN

トロールドハウゲンの結婚式

**Edvard Grieg**
(Norwegian: 1843–1907)
**Op. 65, No. 6**

Tempo di Marcia; un poco vivace

Ped. simile

★ 小さな手の人は、カッコ（　）の音ははぶいて弾いてもよい。

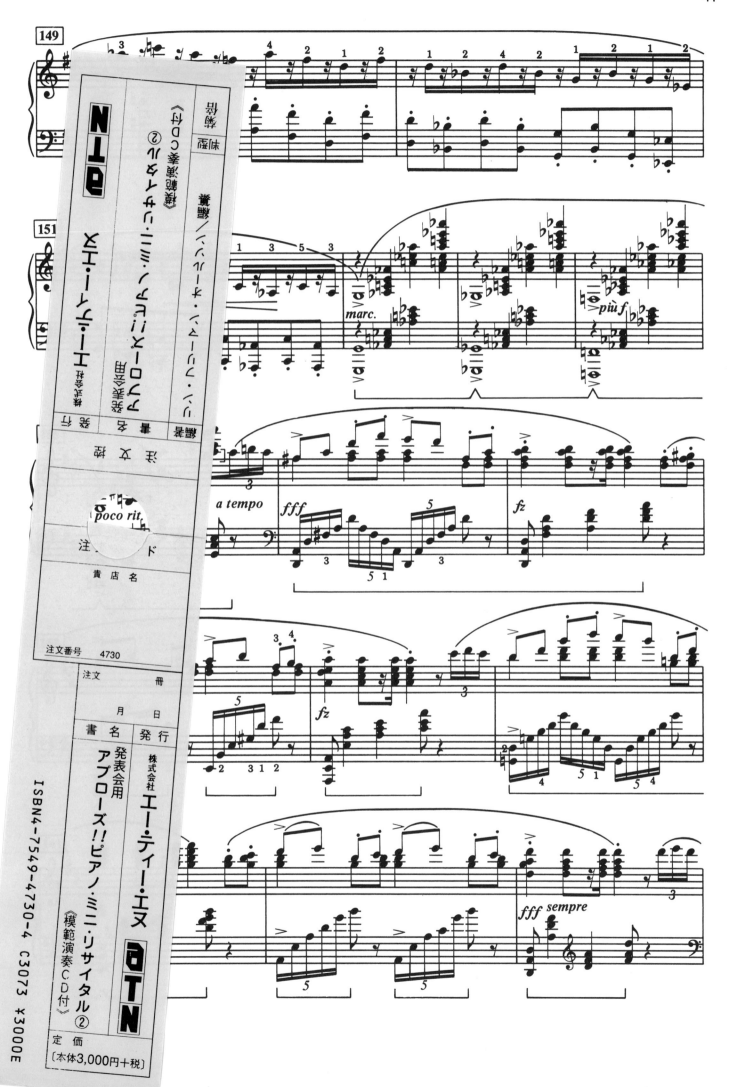

# Hopak

ホパック

**Modest Mussorgsky**
(Russian: 1839–1881)

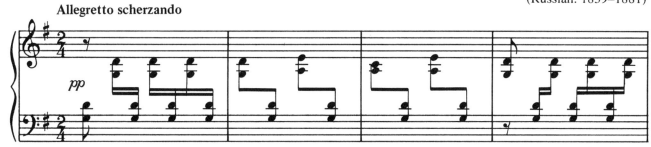

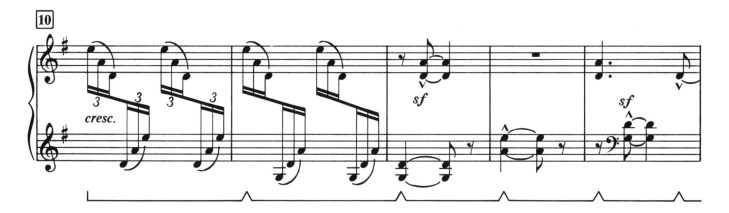

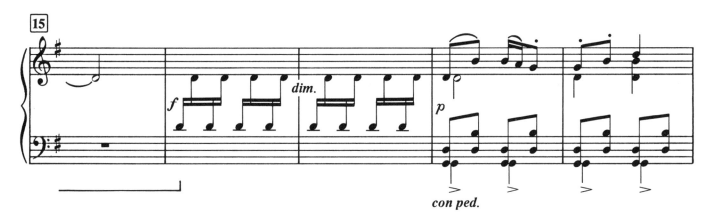

# SCHERZINO

スケルツィーノ

Moritz Moszkowsky
(Polish: 1854–1925)
**Op. 18, No. 2**

★　全体を通して、特別な指示がない限り、軽いスタッカートで弾く。

# ROMANCE

ロマンス

**Jean Sibelius**
(Finnish: 1865–1957)
**Op. 24, No. 9**

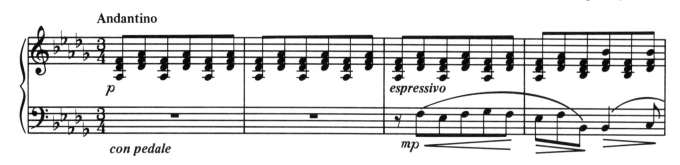

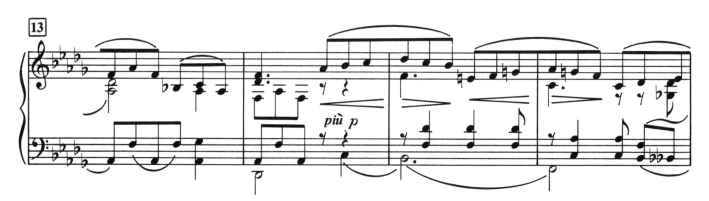

# Hungarian

ハンガリアン

**Edward MacDowell**
(American: 1860–1908)
**Op. 39, No. 12**

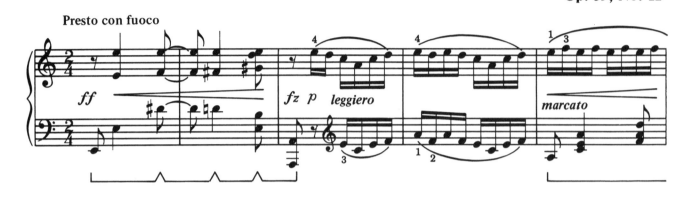

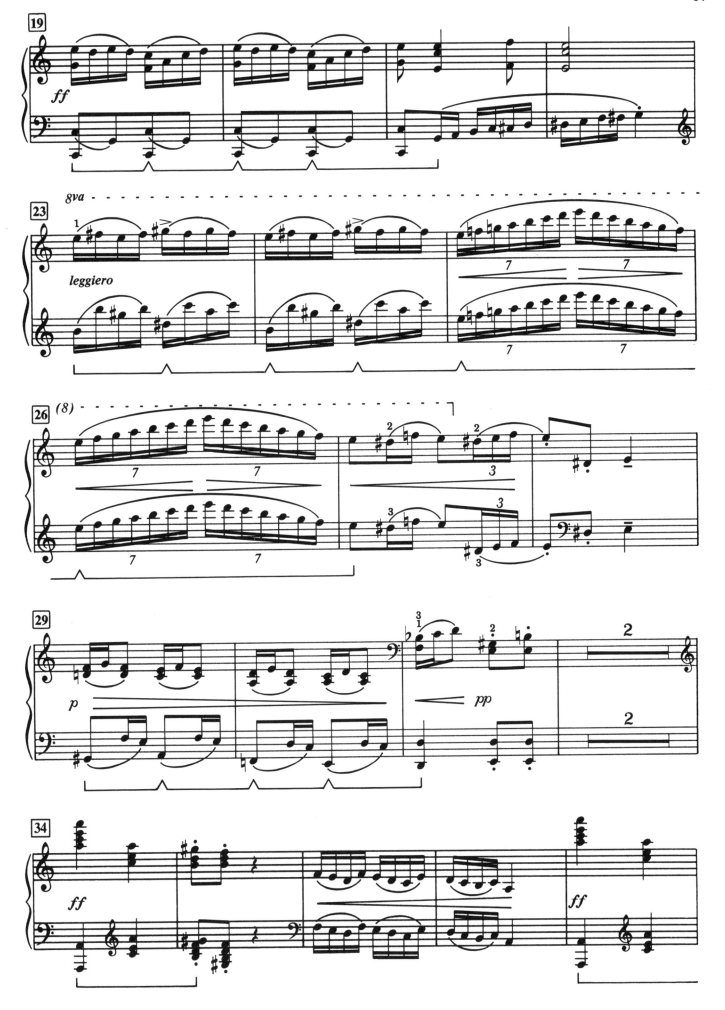

63

# ALLA TARANTELLA

タランテラ

**Edward MacDowell**
(American: 1860–1908)
**Op. 39, No. 2**

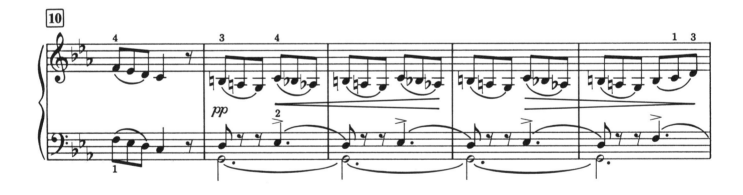

sempre staccato e pp

# TARANTELLA

タランテラ

**Albert Pieczonka**
(Slavic: ca. 1850–1910)

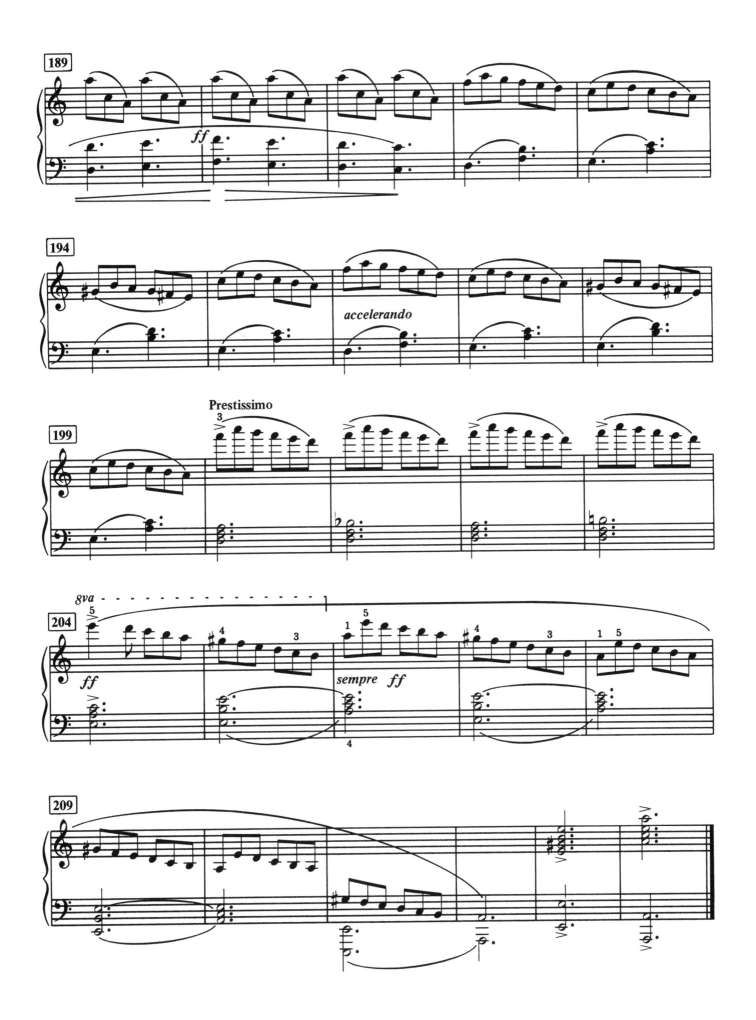

# O POLICHINELO (from *Prole do Bêbê, No. 1*)

元気な赤ちゃん

**Heitor Villa-Lobos**
(Brazilian: 1887–1959)

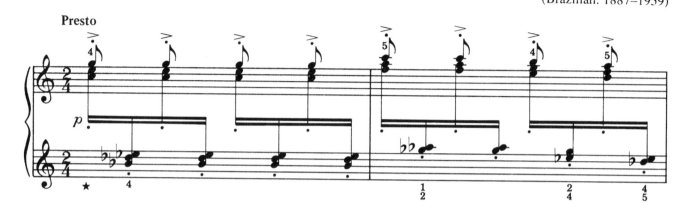

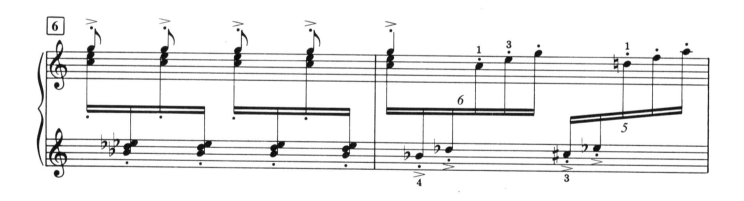

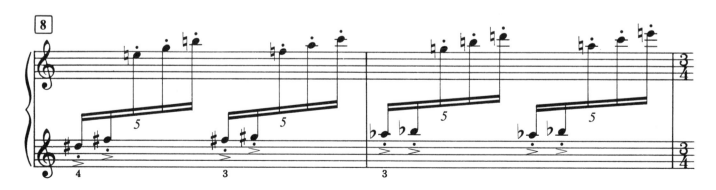

★ このようなパッセージには、ペダルは数多く使って、軽い踏み込みで使うこと。

★ この曲を、ソロの曲として独立して演奏する場合は、第61小節め（★印）まで弾いたら、第12小節めまで戻り
　最後まで演奏して、譜例のようにグリッサンドを付け足して終わる。

**発表会用／時代別編纂**

## 子どものピアノ小曲集《模範演奏CD付》全3巻

各巻・定価〔本体3,000円＋税〕

**①**【バロック〜古典】トランペットの曲／ダンコム、ウィリアム王のマーチ／クラーク、小さな前奏曲 ハ長調／J.S.バッハ、バガテル／ディアベリ、ドイツ舞曲 ニ長調／アレグロ スケルツァンド ヘ長調／ドイツ舞曲 ホ長調／ハイドン、カントリー・ダンス ニ長調（WoO15, No.1）／カントリー・ダンス ニ長調（WoO11, No.7）／ベートーヴェン【ロマン】楽しい農夫／乱暴な騎士／シューマン、スペイン舞曲／オースティン、水車／お祭り／アレグロ ノン トロッポ／疾風と荒波／グルリット、ジプシーの歌／ハンガリア舞曲／レインホールド、紡ぎ歌／エルメンライヒ、なだれ／ヘーラー【20世紀・近現代】前奏曲 第1番／庭で／ちょうちょ／オルゴール／メイカッパー、休日／グレチャニノフ、陽気な音楽／トッカティーナ／カバレフスキー、遊び歌／リズミック・ダンス／バルトーク

**②**【バロック〜古典】メヌエット／トリオ／シュトゥッツェル&J.S.バッハ、アレグロ／W.F.バッハ、ソルフェジェット／C.P.E.バッハ、ソナチネ 第34番 ニ長調／ソナチネ 第17番 ニ長調／ベンダ、ソナチネ ト長調／フック【ロマン】ドイツ舞曲 ハ長調／高貴なワルツ ハ長調／高貴なワルツ イ短調／シューベルト、タランテラ（無言歌集より）／メンデルスゾーン、ルパート騎士／ノルウェーの歌／シューマン、ジプシー／ヘーラー、コン モート／小さな花／グルリット、エチュード 嬰ハ短調／ドーン、ミニチュア／キルヒャー、落ち葉 ハ長調／落ち葉 イ短調／ケーリング、妖精「パック」／水兵の歌／グリーグ、マーチ／ロシアの踊り／レインホールド【20世紀・近現代】道化師／レビコフ、ダンス／バルトーク、ソナチネ イ短調／トッカータ／カバレフスキー、バガテル／チェレプニン

**③**【バロック〜古典】ソナタ ニ短調／ソナタ ト長調／スカルラッティ、ジーグ／アーニ、ソナチネ 第11番／ベンダ、ソナタ ニ長調／アルベニス【ロマン】ドイツ舞曲 イ長調／シューベルト、ポロネーズ ト短調（遺作）／ワルツ イ短調（遺作）／ショパン、私をつかまえて／見知らぬ人／シューマン、アレグロ ブリランテ／コンコーネ、トルコ風ロンド／ブルグミュラー、エピローグ／ヘーラー、不動の決意／グルリット、前奏曲（スペインの歌より）／アルベニス、タランテラ／モシュコフスキー【20世紀・近現代】暴風雨／メイカッパー、3つのファンタスティック ダンス／ショスタコーヴィチ、トッカータ／小太鼓／ハチャトゥリヤン

**発表会用／時代別編纂**

## やさしいピアノ名曲集《模範演奏CD付》全3巻

各巻・定価〔本体3,000円＋税〕

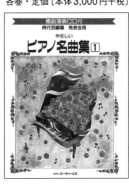

**1**【バロック】ソナタ ニ短調／ソナタ ト長調／スカルラッティ、エアー ト長調（14の組曲より）／ヘンデル【古典】ソナタ ト長調／チマローザ、ソナチネ ハ長調／クーラウ、ソナチネ ニ長調／クレメンティ、6つのエコセーズ／ベートーヴェン【ロマン】無言歌より「信仰」／メンデルスゾーン、少年の踊り／ゲーゼ、ジュリーへ（子どものためのソナタ より）／かわいい娘／ファンタジー ダンス／シューマン、プレリュード ロ短調／マズルカ ヘ長調（遺作）／マズルカ イ短調（遺作）／ショパン、子守歌／いそぎ足／ブルグミュラー【近現代】ジムノペディ 第3番／サティ、バガテル／チェレプニン、戦争の踊り／カバレフスキー、ブランコにのった小さな豹（子どものアルバム第2巻より）／うわさ話をする2人の女性（子どものアルバム第2巻より）／ハチャトゥリヤン

**2**【バロック】プレリュード ホ長調／インヴェンション イ短調／J.S.バッハ、ソナタ 第6番 ハ短調（第3楽章／プレスト）／ベセッティ、ファンタジア 第5番／テレマン【古典】ソナタ ト長調（第4楽章／アレグロ モルト）／ハイドン、トルコ行進曲（ソナタ イ長調 第3楽章）／モーツァルト、バガテル ニ長調／バガテル ヘ長調／ベートーヴェン【ロマン】高貴なワルツ／シューベルト、プレリュード／グリエール、音楽時計／ニールセン、異国から（子どもの情景より）／珍しいお話（子どもの情景より）／大事件（子どもの情景より）／シューマン、アリエッタ／グリーグ、マズルカ イ短調（遺作）／ワルツ ロ短調（遺作）／ショパン、タランテラ／ビューモント【近現代】マーチ／プロコフィエフ、プレリュード イ短調／スロバキア民謡による変奏曲／カバレフスキー、タランテラ／マクダウエル、ソナチネ（第1楽章 アレグロ ジョコーソ）／ハチャトゥリヤン

**3**【バロック】プレリュード ホ短調／プレリュード ヘ長調／インヴェンション 変ロ長調／J.S.バッハ、カプリッチョ／スカルラッティ、かっこう／ダカン【古典】ソナタ 変イ長調（第1楽章／モデラート）／ソナタ ホ長調（第3楽章／プレスト）／ハイドン、ソナタ ニ長調（第1楽章／アレグロ アッサイ）／クレメンティ、ソナタ ヘ短調（ボン）／バガテル 変イ長調／ベートーヴェン【ロマン】無言歌集より「後悔」／メンデルスゾーン、マズルカ イ短調／ノクターン 嬰ハ短調（遺作）／ショパン、妖精／スケルチーノ／冗談／シューマン、ミニチュア ハ短調／キルヒャー、こま／ニールセン、5月の歌／グラナドス、ノクターン／グリーグ【近現代】バガテル／チェレプニン、グラドゥス アド パルナッスム博士／ドビュッシー、ソナチネ（第1楽章「バグパイプを吹く人達」）／バルトーク

**発表会用**

## やさしいピアノ小曲集 《模範演奏CD付》

定価〔本体3,000円＋税〕

エチュード 八長調／デュベルノイ、疾風と荒波／グルリット、タランテラ／ブルグミュラー、ワルツ 八長調／ディアベリ、エチュード ト短調／グルリット、アレグロ スケルツァンド ヘ長調／ハイドン、ロシアの踊り／レインホールド、いそぎ足／ブルグミュラー、ソナタ ト長調／スカルラッティ、水兵の歌／グリーグ、スペインの踊り／モシュコフスキー、なまいきな娘／ナザレス、高度なワルツ／スピンドラー、ソナ 二長調／アルベニス、プレリュード ホ長調／ショパン、はなやかな曲／グルツマヒャー、アラベスク／マクダウェル、小さなラプソディー／ケーリング、狩の歌／メンデルスゾーン、小さな滝（ラグ）／ジョプリン、プレリュード ト短調／ショパン、技巧的なエチュード ト短調／モシュコフスキー、ハンガリアン舞曲 第7番／ハンガリアン舞曲 第5番／ブラームス

**発表会用**

## やさしいピアノ小品集 《模範演奏CD付》

定価〔本体3,000円＋税〕

華麗なワルツ／クレメンティ、ソナタ 八長調／スカルラッティ、ワルツ 二長調／シューベルト、真珠／ブルグミュラー、ワルツ イ短調／ショパン、ノヴェレッテ／カバレフスキー、落葉／ケーリング、ワルツ 変イ長調／ブラームス、プレリュード ハ短調／ショパン、タランテラ／ピエチョンカ、メヌエット／グラナドス、エチュード 二短調／リスト、ソナタ No.84 二長調／ソレル、トルコ行進曲／モーツァルト、ソナタ ホ長調／スカルラッティ、軍隊ポロネーズ イ長調／ショパン、プレリュード 嬰ハ短調／ラフマニノフ、トッカータ／ハチャトゥリヤン

各巻・定価〔本体3,000円＋税〕 **発表会用**

## アプローズ ピアノ・ミニ・リサイタル 《模範演奏CD付》 全2巻

**①** ジーグ（パルティータ 第1番より）／J. S. バッハ、ファンタジア 二短調／テレマン、ソナチネ イ短調／ベンダ、アレグロ／W. F. バッハ、ソルフェジェット／C. P. E. バッハ、6つのエコセーズ／ベートーヴェン、アレグロ ブーレスコ／クーラウ、スケルツォ 二短調／グルリット、あらし／ブルグミュラー、タランテラ／ヘーラー、大事件／ファンタジー ダンス／シューマン、妖精「パック」／グリーグ、小さな黒人／ドビュッシー、くまの踊り／モルト ビヴァーチェ／バルトーク、エチュード 第3番／エチュード 第8番／カバレフスキー、エチュード／ハチャトゥリヤン、バガテル 第1番／バガテル 第10番／チェレプニン

**②** エアーと変奏曲（調子のよい鍛冶屋）／ヘンデル、ソナタ ト長調／スカルラッティ、トッカータ／パラディッシ、前奏曲 ホ短調／スケルツォ／メンデルスゾーン、エチュード 八長調／兵士の歌／ヘーラー、トロールドハウゲンでの結婚式／グリーグ、ホパック／ムソルグスキー、スケルツィーノ／モシュコフスキー、ロマンス／シベリウス、ハンガリアン／タランテラ／マクダウェル、タランテラ／ピエチョンカ、元気な赤ちゃん／ビラロボス

# ATN, inc.

**発表会用／CD付**
# アプローズ
# ピアノ・ミニ・リサイタル②

| | |
|---|---|
| 発 行 日 | 1999年 5月20日（初版） |
| 編 纂 | Lynn Freeman Olson |
| 監修・翻訳 | 宮島 恵 |
| カバー・デザイン | 斉藤 辰之 |
| 発行・発売 | 株式会社エー・ティー・エヌ |
| 住 所 | 〒107-0062 |
| | 東京都港区南青山 4-3-24　青山NKビル1F |
| | TEL 03(3475)6981／FAX 03(3475)6983 |
| | E-mail : XLB02346@nifty.ne.jp |

JASRACの承認により許諾証紙貼付免除

4730

JASRAC C0

日本音楽著作権協会（出）許諾第 9905681 - 901 号
（録）許諾第 R - 9950023 号

（ 許諾番号の対象は、当該出版物中、当協会が
許諾することのできる著作物に限られます。）

ISBN4-7549-4730-4

## CDケース用ラベル

発表会用／アプローズ ピアノ・ミニ・リサイタル② ATN 4730CD

# アプローズ
## ピアノ・ミニ・リサイタル②

ピアニスト
ヴァレリー・ロイド－ワッツ (Valery Lloyd-Watts)

1. Air and Variations (from *Suit No.5*) "The Harmonious Blacksmith" . . . Hendel, Geoge Frideric
   エアーと変奏 「調子のよい鍛冶屋」　ヘンデル

2. Sonata in G Major (from *30 Essercizi, 1738*) . . . . . . . . . . . Scarlatti, Domenico
   ソナタ ト長調　スカルラッティ

3. Toccata (from *Sonata in A*) . . . . . . . . . . . Paradisi, Pietro Domenico
   トッカータ　パラディッシ

4. Praeludium in E Minor . . . . . . . . . . . . . . . . . . Mendelssohn, Felix
   前奏曲 ホ短調　メンデルスゾーン

5. Scherzo, Op.16, No.2 . . . . . . . . . . . . . . . Mendelssohn, Felix
   スケルツォ　メンデルスゾーン

6. Etude in C Major, Op.46, No.24 . . . . . . . . . . . Heller, Stephen
   エチュード ハ長調　ヘーラー

7. Warrior's Song, Op.45, No.15 . . . . . . . . . . . Heller, Stephen
   兵士の歌　ヘーラー

8. Wedding Day at Troldhaugen . . . . . . . . . . . Grieg, Edvard
   トロールドハウゲンの結婚式　グリーグ

9. Hopak . . . . . . . . . . . . . . . . . . . . . . . . . Mussorgsky, Modest
   ホパック　ムソルグスキー

10. Scherzino, Op.18, No.2 . . . . . . . . . . . Moszkowsky, Moritz
    スケルツィーノ　モシュコフスキー

11. Romance, Op.24, No.9 . . . . . . . . . . . . . . . . Sibelius, Jean
    ロマンス　シベリウス

12. Hungarian, Op.39, No.12 . . . . . . . . . . . MacDowell, Edward
    ハンガリアン　マクダウエル

13. Alla Tarantella, Op.39, No.2 . . . . . . . . . . . MacDowell, Edward
    タランテラ　マクダウエル

14. Tarantella . . . . . . . . . . . . . . . . . . . . . Pieczonka, Albert
    タランテラ　ピエチョンカ

15. O Polichinelo (from *Prole do Bêbê, No.1*) . . . . . . . . . . . Villa-Lobos, Heitor
    元気な赤ちゃん　ビラロボス

*Applause!*

株式会社 エー・ティー・エヌ
© 1999 by ATN, inc.

住　所　〒107-0062 東京都港区南青山 4-3-24 青山NKビル
TEL 03 (3475) 6981／FAX 03 (3475) 6983

＊このCDを権利者の許諾なく賃貸業に使用したり
無断複製する事は、法律で禁じられています。

市販のCD用ケースで保管する時は、CDケースのバック・インレイ（背面用）として、
上のラベルを切り取ってご利用ください。